LES CHERCHEURS DE DIEU

TOME 13

CHARLES DE FOUCAULD

Scénario : Benoit Marchon
avec les conseils de François Mourvillier
Dessin : Léo Beker
Couleurs : Béatrice Beker
Illustration de couverture : Dominique Bertail

BAYARD JEUNESSE

CHARLES DE FOUCAULD

Charles de Foucauld a vécu dans la pauvreté et le silence l'Évangile en plein désert africain. Il y est mort assassiné en 1916.

Incroyant, il cherche un sens à sa vie.
Charles de Foucauld naît à Strasbourg en 1858. Officier à 18 ans, il ne croit plus en Dieu et s'étourdit dans des fêtes. Mais il n'est pas heureux. Il découvre le désert pendant un séjour en Algérie et décide d'explorer le Maroc. Il est très impressionné par la foi des musulmans. À son retour à Paris, à 28 ans, il retrouve la foi en Dieu.

Prêtre, il part vivre en Afrique du Nord.
Après un voyage en Palestine, il rejoint les moines en Syrie. Mais il veut vivre l'Évangile dans la plus grande pauvreté. Il rentre en France et devient prêtre. En 1901, il retourne dans le désert d'Afrique du Nord, à Béni-Abbès.

Il meurt assassiné, seul et inconnu de tous.
En 1905, il s'installe à Tamanrasset, au milieu des Touaregs. Il vit pauvrement comme eux, apprend leur langue, les aide à sortir de la misère, soigne les malades. En 1916, des pillards le font prisonnier. Son jeune gardien, affolé, tire sur lui. Charles meurt, seul et inconnu de tous.
Mais, bien plus tard, des hommes et des femmes voudront vivre comme lui, en témoignant en silence parmi les plus pauvres.

« Silencieusement, secrètement, comme Jésus à Nazareth, obscurément comme lui, passer inaperçu sur la terre, comme un voyageur dans la nuit… »

L'hiver 1880, à Pont-à-Mousson, en Lorraine...

... un groupe d'officiers du 4ᵉ Régiment de Hussards marche le long de la Moselle.

Brrr! Quelle drôle d'idée a eue notre "bon gros" lieutenant de nous inviter à faire du patin à glace à cette heure-là!

Ne te plains pas! La vie serait bien triste, ici, si le "bon gros" n'était pas là!

AH! AH! AH! Tu as bien raison!

Mais, qui est ce "bon gros" dont vous parlez?

Tu ne le connais pas encore? Eh bien, celui qu'on surnomme ainsi n'est autre que le vicomte Charles de Foucauld.

Partout où il passe, il organise des fêtes incroyables!

Avec son salaire de lieutenant?

Oh non! Il vient d'hériter d'une immense fortune à la mort de son grand-père, il y a un an.

5

Il n'a pas de famille avec qui la partager ?

Il a juste une sœur. Ses parents sont morts alors qu'il avait cinq ans...

Ah ! nous arrivons au rendez-vous !

LUMIÈRE !

MUSIQUE !

Ooh !

Merveilleux !

Encore une surprise signée Foucauld !

Bienvenue, Messieurs ! Laissez donc vos patins, choisissez votre danseuse, régalez-vous, enivrez-vous toute la nuit ! C'est moi qui invite !

Dites-moi, la famille Foucauld n'est-elle pas, depuis des siècles, une grande famille connue pour sa solide foi chrétienne ?

C'est exact ! Sauf pour moi ! J'avais la foi quand j'étais plus jeune. Mais j'ai lu beaucoup, et Dieu est devenu une question trop compliquée, à laquelle je préfère ne plus réfléchir !

La nourriture, les femmes et les fêtes, en travaillant le moins possible, voici ma seule religion à 22 ans ! Ce qui choque beaucoup mes oncles et tantes !

AH ! AH ! AH !

Charles, tu n'as pas encore dansé. Viens avec moi!

Attends, Mimi, je finis mon verre.

Quelques semaines plus tard, le 4ᵉ Régiment de Hussards s'embarque pour l'Algérie.* Il s'installe dans la ville de Sétif.

Charles découvre le pays avec passion...

...Mais il fait venir Mimi en disant que c'est sa femme. Et il continue ses fêtes.

* A cette époque, l'Algérie était dirigée par la France. Beaucoup d'autres pays dans le monde étaient dirigés par des pays d'Europe : on les appelait des « colonies ».

Un jour...

Vous m'avez appelé mon Colonel?

Ah! Foucauld! Ça ne peut plus durer!

Notre armée représente la France, ici! Nous devons nous en montrer dignes! Je vous ordonne d'arrêter ces fêtes scandaleuses, et de renvoyer cette femme, qui n'est pas votre épouse!

Mon Colonel, je n'ai rien à me reprocher. Je respecte le règlement militaire, et ma vie privée ne vous regarde pas!

Quel toupet! Puisque vous le prenez ainsi, vous allez voir!

En effet, le 20 mars 1881...

Sur ordre du ministère de la guerre, le lieutenant de Foucauld est renvoyé de l'armée, pour refus d'obéissance et mauvaise conduite.

Mes amis, je quitte l'Afrique avec quelques regrets. Mais je quitte l'armée sans aucune tristesse! Ma fortune me suffit largement pour vivre comme il me plaît!

Dommage! Avec sa personnalité, il aurait pu faire de grandes choses...

Revenus en France, Charles et son amie s'installent à Evian, au bord du lac Léman.

Et les fêtes reprennent...

Bravo, Charles! Tu ne pourras plus refuser de m'offrir de nouveaux bijoux!

Qu'est-ce que tu as, depuis quelque temps? Tu ne dis rien, tu n'as pas l'air de t'amuser!

C'est vrai... Je m'ennuie, je me sens inutile...

En Juin 1881

Écoute cette nouvelle, Mimi! Des tribus arabes se révoltent en Algérie. C'est mon ancien régiment qui part les combattre!

Mes camarades vont se battre! Je ne peux pas rester là sans rien faire!

!

Le Temps

Mais! Et moi?..

Oh! Tu en trouveras bien un autre comme moi!

9

Quelques jours plus tard, au ministère de la Guerre, à Paris.

Ainsi, vous m'avez écrit pour me demander de revenir dans l'armée. Pourtant, vous ne nous avez pas laissé un bon souvenir!

Mon général, je voudrais connaître le danger et la gloire! J'accepterai même d'être un simple soldat!

Puisque vous avez l'air si décidé, je veux bien vous reprendre comme lieutenant. Mais montrez-vous-en digne, cette fois!

Merci, mon général!

Bientôt en Algérie, dans la région d'Oran.

Charles, te revoilà! On va bien s'amuser!

Ah! non! Je suis là pour me battre avec vous!

En effet.

A l'assaut!

Courage! L'oasis n'est plus loin!

On ne le reconnaît plus, notre lieutenant!

Enfin!

Pouah! Elle est infecte!

Tenez, mettez du rhum. Ça sera meilleur!

Et vous, mon lieutenant?

Oh! Je peux m'en passer...

Quelle beauté...

Ah! ah! ah ! Regardez ces Arabes, on a envie de leur botter les fesses !

Laissez-les tranquilles! C'est leur manière de prier...

En décembre, la révolte est finie.

Maintenant que la paix est revenue, que vas-tu faire ?

La vie des Arabes me fascine...

...Je rêve maintenant d'explorer le Maroc.

Mais tu es fou! C'est un pays complètement inconnu, et interdit à tout étranger!

MAROC ALGÉRIE

Justement, l'aventure me tente! Si j'arrive à établir une carte de ce pays, ça rendra service à la France pour faire du commerce et de la politique.

Charles démissionne de l'armée en mars 1882. Il part d'abord à Alger pour préparer son voyage.

Va voir de ma part Oscar Mac Carthy. C'est le responsable de la bibliothèque d'Alger. Il te donnera des conseils.

A Alger.

Monsieur de Foucauld, votre idée me passionne. Mais avant de partir, il faudrait apprendre l'arabe et l'hébreu,* la géographie, l'astronomie... Vous en avez bien pour un an.

* C'est la langue des juifs.

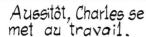

Aussitôt, Charles se met au travail.

Charles !

On ne te voit plus à nos fêtes !

Je n'ai pas le temps. Et puis, c'est ma famille qui s'occupe de ma fortune, maintenant. Et elle ne m'envoie pas beaucoup d'argent. Ce n'est pas plus mal, d'ailleurs !

En février 1883.

Vous savez assez de choses pour faire votre voyage. N'essayez pas de vous faire passer pour un Arabe : vous seriez obligé de vivre avec la population, et on découvrirait vite que vous êtes étranger.

Par contre, les Juifs sont bien moins nombreux au Maroc et vivent à l'écart des Arabes. En vous habillant en Juif, vous risquerez moins d'être découvert.

Suivez-moi...

Voici Mardochée. C'est un Juif qui connaît bien le Maroc. Il veut bien vous servir de guide.

Et, le 10 juin.

N'oubliez pas : vous vous appelez maintenant Joseph Aléman. Et vous êtes un Juif, chassé de Russie.

Enfin, l'inconnu !

Trois jours après le départ, dans la ville de Tlemcen, en Algérie.

Je me suis renseigné : tout le monde me dit qu'on ne pourra pénétrer en cachette au Maroc que par la mer.

Eh bien, nous irons dans un port prendre un bateau !

Aïe ! Des officiers français ! Ils vont me reconnaître !

Regarde ce petit Juif en train de manger des olives. On dirait un singe !

Ouf !...

Il suffit de changer d'habit pour être respecté ou méprisé...

Ha ! ha ! ha !

Le 20 juin, Charles et Mardochée débarquent dans le port marocain de Tanger.

Et l'exploration commence...

Charles note tout ce qu'il apprend et tout ce qu'il voit...

...sur de minuscules carnets...

...qu'il recopie la nuit sur des cahiers.

Il dessine des cartes, à l'aide d'appareils de mesure qu'il transporte cachés dans ses vêtements.

Au cours de son long voyage, il découvre la haine de beaucoup d'Arabes pour les Juifs...

Hors d'ici, chiens !

...et le mépris de certains Juifs pour les Arabes.

Vous êtes des nôtres ? Ça me change de ces sauvages...

Mais il fait aussi des rencontres étonnantes. Une fois, chez un Juif...

Vous n'êtes pas un vrai Juif : nous ne nous coiffons jamais la barbe. Mais ne vous inquiétez pas. Vous êtes mon hôte, je ne vous trahirai pas.

Une autre fois, il est accueilli chez un chef arabe, grâce à une lettre d'un ami.

J'ai tout de suite deviné que vous étiez français. Mais je ne vous ferai aucun mal. Le Maroc est dirigé par des profiteurs et des brigands. Les Français pourraient nous aider à rétablir la justice et la paix.

Enfin, Charles est très impressionné par la grande foi des Arabes.

Cette nuit, le ciel semble s'entrouvrir et toute la nature a l'air de s'incliner pour remercier Allah, notre Créateur.

Le 12 mai 1884, vers la fin du voyage, dans une région dangereuse.

Allez ! Donne-nous tout ce que tu as !

Mais on vous a payés pour nous guider et nous protéger !

Ah, ah ! Pauvre naïf !

Revenu en France en juin 1884, Charles retrouve sa famille au Tuquet, en Gironde.

Charles, nous sommes très fiers de vous. On parle de votre voyage dans les journaux : vous êtes célèbre !

Merci, ma tante. Mais l'important pour moi, c'est d'avoir réussi ce que je voulais.

Bonjour, petite sœur !

Vous avez une bien mauvaise mine, mon cousin ! Nous allons vous refaire une santé !

Chère Marie, je suis si content de vous retrouver après tant d'années !

Oncle Charles, vous nous raconterez vos aventures, hein ?

Mais oui, mon bonhomme !

Charles se repose pendant six semaines.

Pas un reproche pour mes bêtises passées... Et on m'accueille avec tant de gentillesse...

Vous souvenez-vous de nos vacances en Normandie, quand nous étions enfants ? Vous me donniez la main pour aller à l'église...

Une fois rétabli, Charles fait un nouveau séjour de quelques mois dans le Sud de l'Algérie et de la Tunisie pour compléter ses notes de voyage.

En février 1886, il s'installe à Paris.

Il vit très simplement, comme au Maroc.

Et il travaille des jours entiers à écrire un livre : "Reconnaissance au Maroc".

Chaque dimanche, il va dîner chez sa tante.

Et il passe de longs moments à parler avec sa cousine.

La religion des Arabes m'a bouleversé. Ils ont une telle foi en Dieu...

J'ai senti qu'il y a quelque chose de plus grand que ma façon de vivre, mais je ne crois pas que la vérité soit là...

Pour moi, la vérité est en Jésus...

Ah, Charles, je voudrais vous présenter l'abbé Huvelin qui est prêtre à l'église Saint-Augustin.

Je vous présente mon cousin, dont je vous ai beaucoup parlé.

J'aimerais tant que Charles redécouvre Jésus...

Ne lui faites pas de sermons. Mais montrez-lui que vous l'aimez.

C'est ce qui l'aidera le mieux dans sa recherche de Dieu.

Marie est si intelligente et si bonne... La religion chrétienne n'est peut-être pas si absurde...

Plusieurs fois, Charles se rend à Saint-Augustin.

Et il répète une étrange prière.

Mon Dieu, si vous existez, faites que je vous connaisse...

15

En octobre.

Vous êtes heureuse de croire... Je cherche la lumière, et je ne la trouve pas...

Vous devriez parler avec l'abbé Huvelin. Peut-être pourra-t-il vous aider...

Dès le lendemain.

Monsieur l'abbé, je n'ai pas la foi, mais je voudrais que vous m'appreniez la religion chrétienne.

Dieu ne s'apprend pas : il aime et il pardonne... Mettez-vous à genoux, et confessez vos fautes à Dieu.

Mais je ne suis pas venu pour ça !

Confessez-vous...

Surpris, Charles obéit. Il se met à raconter toute sa vie, ses fautes, ses questions. Puis, bouleversé, il écoute l'abbé Huvelin lui parler longuement de Jésus et de Dieu.

Maintenant, venez communier...

Le corps du Christ...

Ce jour-là, inexplicablement, tout change pour Charles...

16

Quelque temps plus tard, chez l'abbé Huvelin.

Maintenant que j'ai retrouvé Dieu, je voudrais ne vivre que pour lui !

Comme vous êtes passionné ! Vous vous plongez dans la foi comme vous vous êtes plongé dans les plaisirs et dans l'aventure !

Je voudrais tellement faire autre chose de ma vie !

Ne changez rien pour l'instant : finissez d'écrire votre livre. Lisez la Bible, priez, communiez souvent, venez me voir quand vous voulez.

Ainsi, chaque jour, pendant des mois...

En février 1888, son livre paraît et connaît un grand succès.

Alors, vous êtes célèbre ! On vous invite partout !

Je préférerais qu'on me laisse tranquille !

J'ai de plus en plus envie de solitude et de silence, pour découvrir ce que Dieu attend de moi...

Vous devriez partir ! Faites un pèlerinage en Palestine. Cela vous aidera à y voir plus clair...

Vous avez peut-être raison.

Ainsi, Charles part pour un nouveau voyage.

En décembre 1888, il arrive à Jérusalem.

C'est là que Jésus a donné sa vie en mourant sur une croix.

La nuit de Noël, il prie longuement à Bethléem.

Ici, Jésus est né... Ici, Dieu s'est fait homme...

Il séjourne à Nazareth.

Jésus a vécu, pauvre et inconnu, dans ce village, pendant trente ans...

A son retour

Ce voyage m'a bouleversé : Jésus est devenu quelqu'un de vivant pour moi.

J'en suis sûr, maintenant : c'est la vie de Jésus à Nazareth que je veux imiter. Peut-être en étant moine ?

Réfléchissez encore. Allez vivre dans différents monastères pour voir si c'est bien ce que vous désirez.

18

Et, le 15 janvier 1890, après un an de recherches.

Je viens vous dire au revoir. J'ai choisi d'aller à Notre-Dame-des-Neiges, dans les montagnes d'Ardèche. De là, je pourrai partir dans un monastère en Syrie.

Marie, merci pour tout... et adieu...

Au revoir, Charles. Donnez-moi de vos nouvelles, surtout.

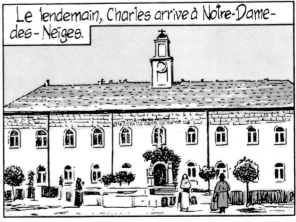
Le lendemain, Charles arrive à Notre-Dame-des-Neiges.

Le 26 janvier, il reçoit l'habit de moine et devient frère Marie-Albéric.

Quelques mois plus tard

Un frère part bientôt pour notre monastère d'Akbès, en Syrie. Êtes-vous toujours décidé à y aller?

Oh! oui, père. J'aimerais retrouver la lumière des pays arabes. Et puis, je serai près de la Palestine, et je pourrai mieux vivre la pauvreté de Jésus.

Le 27 juin.

Je ne reverrai sans doute jamais la France, et ceux que j'aime. Il me faut tout abandonner pour Dieu...

Le 11 juillet.

Voici Akbès...

23

Pendant sept ans, Charles va mener la vie silencieuse et régulière des moines.

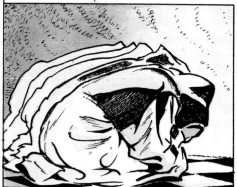  

Mais il n'est pas encore pleinement heureux. Il l'écrit à l'abbé Huvelin.

« Nous sommes pauvres aux yeux des riches, mais pas pauvres comme l'était Jésus, comme je l'étais au Maroc, comme le sont les gens d'ici : le monastère possède des terres et paye des ouvriers. Et puis, on veut me donner des responsabilités... J'ai soif de mener la vie de pauvreté totale que j'ai découverte quand j'étais à Nazareth. »

Celui-ci répond :

" Ce que vous souhaitez est très difficile. Vous voulez vivre à fond l'Évangile de Jésus : alors quittez Akbès et retournez en Palestine... "

Ainsi, en 1897, à 39 ans, Charles repart encore...

Débarqué au port de Jaffa le 24 Février 1897, Charles traverse à nouveau la Palestine, avec les évangiles pour tout bagage.

Le 6 mars, il est à Nazareth.

J'arrive juste pour la messe chez les religieuses de Sainte-Claire.

DING!
DING!

À la fin de la messe.

Quel drôle de bonhomme!

À midi.

Encore là! C'est un fou!... ou un voleur! Il attend sans doute une occasion pour nous dévaliser. Je vais le surveiller!

Bientôt...

Ouf! Bon débarras...

Mais, trois jours après.

Encore lui!

Est-ce que je pourrais parler à votre Mère abbesse, s'il vous plaît?

Je vais la chercher. Entrez au parloir.

Ma mère, c'est le bonhomme bizarre de l'autre jour!

Ah! oui, l'aumônier m'a parlé de lui. J'arrive.

C'est bien lui qui est venu en pèlerinage il y a neuf ans.

Je viens de chez le père Voisin, votre aumônier. Il m'a dit que vous auriez peut-être du travail pour moi.

Euh... oui. Nous avons besoin d'un homme à tout faire. Ça vous intéresse?

Oh! merci! En échange, je vous demanderai un peu de nourriture, un coin pour dormir... et la permission de prier librement.

Vous logerez là.

C'est bien trop beau pour moi!

Cette cabane me suffirait.

Mais on y range les outils!

Eh bien, je ferai de la place.

Peu après...

Voilà! C'est parfait!

Et pendant des mois...

Mon Dieu, je suis heureux ici: pauvre parmi les pauvres, oublié de tous, serviteur dans le village même où Jésus a vécu inconnu...

Décidément, notre frère Charles est plein de bonne volonté, mais il ne sait pas faire grand-chose!

Teuh!

Sauf prier... pour ça, il est extraordinaire!

En effet, Charles prie des nuits entières.

Il médite longuement sur les évangiles.

Je n'ai pas le droit d'affirmer que j'aime Dieu si je n'aime pas aussi les autres. Ma vie doit-elle continuer ainsi, seul à seul face à Dieu?

Plus d'un an après son arrivée.

Notre supérieure, Mère Elisabeth, nous écrit de Jérusalem. Elle a entendu dire que frère Charles était un vrai saint. Elle aimerait bien le rencontrer...

Plus tard.

Vous donnerez cette lettre à Mère Elisabeth. Et voici des provisions pour le voyage.

Gardez-les. Je me débrouillerai en chemin.

Charles arrive à Jérusalem deux jours après.

Mis en confiance par Mère Elisabeth, il lui parle de sa vie, de ses questions, de ses projets.

Depuis longtemps, je rêve de créer un ordre religieux.

J'imagine des petits groupes de moines vivant dans la plus grande pauvreté. Ils feraient découvrir Jésus par l'amour, la prière et la messe, aux peuples qui ne le connaissent pas.

Alors, pourquoi ne voulez-vous pas être prêtre pour célébrer vous-même la messe ?

Vous avez peut-être raison...

Après plusieurs mois de réflexion, Charles retourne en France pour se préparer à être prêtre. Il le devient le 9 juin 1901.

28

Le 28 octobre

Capitaine Régnault !
Bienvenue à Béni-Aobès !

Vous pourrez installer ici votre fraternité.
Mes hommes vous aideront à construire votre maison.

Merci, capitaine.

Entre la caserne et le village... Ainsi, je pourrai vivre dans la solitude, mais en accueillant tous ceux qui viendront.

Bientôt.

Frère Charles, la chapelle est presque finie !

Mais que dessinez-vous ?

C'est pour la chapelle : Jésus donnant sa vie, le cœur plein d'amour pour tous les hommes.

C'est ce que veut dire aussi le signe que j'ai sur la poitrine.

Et, chaque jour, dans la chapelle achevée.

Je n'ai jamais vu un prêtre célébrer la messe avec tant de ferveur...

30

Peu à peu, Charles, qui se veut "frère universel", accueille de plus en plus de monde.

Il héberge des voyageurs...

... Il nourrit des affamés, soigne des malades.

Chaque soir, il fait découvrir les évangiles à des soldats.

Plus de cent personnes sont encore venues aujourd'hui. Je n'ai presque plus le temps de prier, alors que toute la nature m'y invite... Et je n'ai toujours pas de compagnon qui veuille vivre comme moi.

Un soir.

Frère Charles, protège-moi. Je t'en supplie!

Mais je te reconnais : tu es Joseph, l'un des esclaves d'Idriss, le riche marchand.

Oui... mais je me suis enfui, car il me bat tout le temps. Je n'en peux plus... garde-moi avec toi.

Ne t'inquiète pas. Viens, je vais te soigner. Et j'irai voir ton maître.

En mars 1903

Frère ! Un commandant français veut te voir !

Ça alors ! Laperrine !

Charles ?! Dis donc, tu as bien changé depuis le temps où nous étions jeunes soldats !

Qu'est-ce qui t'amène ici ?

Eh bien, je suis chargé de parcourir le "Sud de l'Algérie" avec mes soldats, et de gagner la confiance des populations. Je sais ce que tu fais ici, et j'ai pensé que tu pourrais m'aider.

Mais il y a tant à faire ici. Je ne peux pas abandonner ma Fraternité !

Tu pourrais en créer d'autres très utiles. Par exemple dans la région du Hoggar, chez les Touareg, ces peuples si guerriers et si pauvres. Réfléchis !

Rabat
Oran
MAROC Fès
Alger
ATLAS
Béni-Abbès o
o El Golea
ALGÉRIE
SAHARA
HOGGAR
Tamanrasset o
Tessalit o

Quelques mois plus tard

Encore une lettre de Laperrine me demandant de le rejoindre !... Au fond, le Maroc, où je voudrais m'installer, est toujours interdit aux étrangers. Alors, pourquoi pas ?...

Ainsi, le 13 janvier 1904

Ne vous inquiétez pas ! Je reviendrai !

Et le 1er février

Me voici...

Charles !
Je savais bien que
l'aventure te
tenterait !

Bientôt, un voyage commence.

Bonjour !... Oh, tu as une
vilaine blessure au bras, toi. Viens,
je vais te soigner.

C'est étonnant comme il se fait
des amis facilement !

Je suis très content de dîner avec vous, tenez,
j'ai apporté de quoi manger.

Tu parles parfaitement
l'arabe avec eux !

Oui, mais la vraie langue
des Touareg est le tamachek.
Je suis en train de l'apprendre :
ça m'aidera à les connaître
mieux.

Chaque matin, Charles célèbre la messe.

Ces habitants peuvent-ils faire la différence entre les militaires, qui veulent dominer, et le prêtre qui voudrait être le frère de tous ?...

Un jour

Halte !

On m'a averti de votre venue, mais je vous interdis de passer ! Ce territoire dépend de moi. De toute façon, ces sauvages se tiennent tranquilles : ils ont trop peur de mes soldats, ah, ah, ah !

Mais j'ai une mission spéciale !

La discussion dure longtemps.

Mais le lendemain

Demi-tour !

C'était inutile d'essayer de le convaincre : il ne croit qu'à la force brutale pour diriger le pays. Nous aurions fini par nous battre entre nous !

Je ne suis pas fier de voir des Français se conduire ainsi : ce sont eux qui doivent avoir l'air de sauvages pour les Touareg !...

Revenu à Béni-Abbès en janvier 1905, Charles repart bientôt pour un autre voyage, cette fois avec le commandant Dinaux.

Les Touareg sont si différents de nous... J'aimerais vivre avec eux, et comme eux. C'est la seule façon de mieux les comprendre et de devenir leur ami.

Nous allons rencontrer l'aménokal Moussa Ag Amastane: c'est le chef des Touareg du Hoggar. Il a fait la paix avec nous et vient nous promettre son obéissance. Je lui parlerai de vous.

Le voici!

Grand Aménokal, voici le père Charles de Foucauld. C'est un marabout* chrétien qui voudrait habiter dans le Hoggar.

J'ai entendu parler de toi. On m'a dit que tu étais un homme bon. J'accepte, et je te protégerai.

Ainsi, en août 1905.

Voici Tamanrasset ! C'est vraiment dans ce trou perdu que vous voulez vous installer ?

Oui. Il n'y a là que quelques Touareg très pauvres, mais de nombreuses caravanes de chameaux y passent.

Et un mois plus tard.

Me voici seul, en plein désert, loin de tout Français, pour vivre au milieu d'un peuple inconnu et abandonné de tous,...

* Marabout : saint, pour les Arabes.

36

Charles commence par construire une chapelle, et une maison.

Les Touareg doivent me trouver bien étrange ! Pour eux, les chrétiens ont toujours été des Français brutaux et profiteurs !

Il défriche un petit jardin.

Comment peut-on vivre sur une terre si pauvre et si sèche ?

Ils sont si méfiants qu'aucun ne vient me voir. Pourtant j'aimerais gagner leur confiance.

Charles y arrive très lentement.

Tiens, j'ai des graines de légumes en trop.

Voici une aiguille. Ce sera plus commode qu'une épine pour coudre vos peaux.

Avec ce remède, tu seras vite guéri.

Bientôt, Charles devient l'ami de Moussa, le chef des Touareg.

Il est trop tôt pour lui parler de Jésus. Ça le choquerait dans sa foi. Si j'arrive déjà à vivre l'amour de Jésus dans tout ce que je fais, d'autres après moi pourront le faire connaître aussi en paroles.

Ainsi Charles continue à imiter la vie cachée de Jésus à Nazareth. Mais, en janvier 1908...

Je suis fatigué... Je n'ai plus le courage de prier.

Qu'ai-je fait ici depuis deux ans ? J'ai rendu quelques services. Mais avec cette sécheresse, les Touareg sont encore plus pauvres et affamés. Et j'ai distribué toutes mes provisions...

Aucune lettre de ma famille ou de mes amis depuis deux mois... Je suis toujours seul, à cinquante ans... L'ordre religieux que je rêvais de créer n'existe toujours pas...

Et il y aurait tant à faire en Algérie. Mais trop de Français s'obstinent à regarder les habitants comme des étrangers ou même des ennemis, et ils ne pensent qu'à s'enrichir en profitant d'eux. Un jour, tout ça finira mal...

Peu à peu, Charles retrouve sa santé et reprend espoir.

Je ne verrai sans doute jamais pousser ce que je sème. Mais la graine doit mourir en terre avant de germer...

Frère, du courrier pour toi !

Ah! Enfin des nouvelles.

Ma famille a appris ma maladie. Elle aimerait me revoir et m'invite à faire un séjour en France.

Ainsi je pourrai retrouver ceux que j'aime, faire la connaissance de mes jeunes neveux et nièces, et mieux expliquer pourquoi je vis ici.

Charles va en France en février et mars 1909

Marie, ma chère cousine, moi qui pensais ne jamais vous revoir...

Mais grâce à toutes vos lettres, je restais proche de vous !

Monsieur l'abbé Huvelin. j'aimerais célébrer une messe à Saint-Augustin, en souvenir de ma conversion.

Avec joie !

Mes enfants, voici le fameux oncle Charles. Vous savez, celui qui vit chez les "sauvages" en Algérie.

Au fait, combien en avez-vous converti?

Euh, en vérité aucun !

Je voudrais d'abord devenir leur frère et les aider à sortir de la misère. Je ne veux pas les forcer à croire en Jésus, mais j'aimerais qu'ils le découvrent en me regardant vivre...

37.

41

Charles fait aussi de nombreux voyages autour de Tamanrasset. Un jour...

Nous arrivons au sommet de l'Assekrem. Beaucoup de Touareg passent là avec leurs troupeaux, car c'est un coin où il y a encore de l'herbe.

Regarde, on domine toute la région !

Quelle splendeur ! C'est un véritable château de montagnes !

En venant ici régulièrement, je serai merveilleusement tranquille pour prier et pour travailler à mon dictionnaire, et je pourrai rencontrer d'autres Touareg.

Bientôt

C'est dans le désert qu'on chasse de soi tout ce qui n'est pas Dieu... C'est dans la solitude que Dieu se donne tout entier...

Bonjour, venez vous réchauffer près du feu !

Ainsi, pendant plusieurs années, Charles partage son temps entre Tamanrasset et l'Assekrem.

38.

42

En septembre 1914

Mauvaise nouvelle ! L'Allemagne est entrée en guerre contre la France ! La bataille fait rage ! Beaucoup de nos soldats sont repartis d'Algérie.

Il faut que j'y aille aussi ! On doit avoir besoin de prêtres ou d'infirmiers.

Votre ami, le commandant Laperrine, vous demande plutôt de rester ici pour aider à maintenir la paix.

D'après lui, des tribus rebelles vont profiter de la situation pour essayer de retourner les populations contre nous, ou pour se livrer au pillage.

Il a raison ! Alors je reste.

Pendant des mois, tout est calme. Mais en septembre 1916

Faites attention ! Les rebelles commencent à s'agiter dans la région.

Ne vous inquiétez pas : tous les habitants de Tamanrasset pourront se réfugier dans ce fortin en cas d'attaque.

Nous vous avons apporté quelques fusils et des cartouches, si vous devez vous défendre.

Le 1er décembre 1916.

C'est là qu'il y a plein d'armes et d'affaires à piller !

Et les soldats ?

Ah, ah ! Il n'y a en ce moment qu'un vieux marabout français. On pourra le prendre en otage et demander une bonne rançon !

Mais on ne pourra jamais entrer là-dedans !

Si ! grâce à El Madani. Il connaît le marabout. Tu vas voir ! Allons-y !

TOC ! TOC !

Charles de Foucauld est mort seul, presque inconnu, en plein désert. Mais la graine qu'il avait semée a germé. Des hommes et des femmes désirent, comme lui, imiter la vie de Jésus à Nazareth, faite de silence, de prière et de pauvreté.

Ils se veulent frères et sœurs de tous, au-delà des différences de races et de religions. Parmi eux, les "Petites sœurs du Sacré-Cœur de Jésus" et les "Petits frères de Jésus" sont plus d'un millier à vivre dans les déserts du monde entier.

« Mon Père,
fais de moi ce que tu voudras.
Quoi que tu fasses de moi,
je te remercie.
Je suis prêt à tout,
j'accepte tout.
Je ne désire que faire ta volonté.
Je me donne à toi avec confiance,
mon Dieu,
Et je t'aime, car tu es mon Père. »
Charles de Foucauld